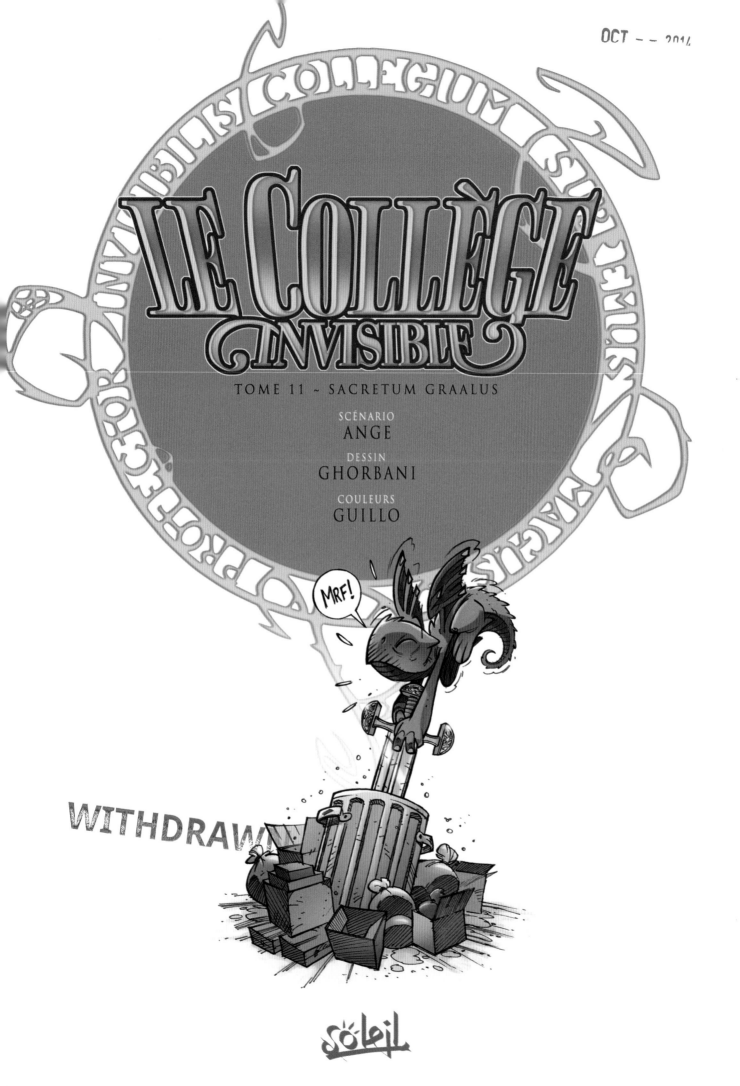

**Une série créée par Ange et Régis Donsimoni,
et dirigée par Jean Wacquet.**

© MC PRODUCTIONS / ANGE / GHORBANI
Soleil Productions
15, Boulevard de Strasbourg
83000 Toulon - France

Soleil Paris
25, Rue Titon - 75011 Paris - France

Réalisation graphique : Studio Soleil
Préparation couleurs : Luc Perdriset

Dépôt légal : Juin 2013 - ISBN : 978-2-302-02554-7
Première édition

Impression : PPO - Palaiseau - France

3

5

ON PENSE SOUVENT QUE LE GRAAL N'EST QUE LE RÉCEPTACLE DU SANG DU CHRIST CRUCIFIÉ.

IL EST CELA MAIS BIEN D'AUTRES CHOSES. IL EST LA COUPE D'ABONDANCE, LE CALICE QUI ACCORDE L'IMMORTALITÉ À QUI Y TREMPE SES LÈVRES.

SON ORIGINE SE PERD DANS LA NUIT DES TEMPS, AU-DELÀ MÊME DES ANNALES AKASHIQUES.

L'APPARENCE ET LES REPRÉSENTATIONS DU GRAAL CHANGENT AU FIL DES ÂGES ET CERTAINES SONT ENTIÈREMENT SYMBOLIQUES.

NE VOUS FOCALISEZ PAS SUR LA FORME, MAIS SUR LE FOND.

MRF!

TU AS ENTENDU, GUILLAUME?

QUOI?

NRF!

VOUS AURIEZ DÛ IMPOSER VOTRE VOLONTÉ ET METTRE MON COUSIN DANS LE MUR, MADAME LA PROVISEUR.

NON, MERLIN. LA PAROLE DU ROI FAIT LOI. C'EST LA TRADITION. JE NE POUVAIS PAS LE CONTREDIRE.

MAIS NOUS N'ALLONS PAS POUR AUTANT LES LAISSER FAIRE N'IMPORTE QUOI.

SI DES PERSONNES MALINTENTIONNÉES S'EMPARENT DU GRAAL, CE SERA UNE CATASTROPHE.

SI GUILLAUME S'EN EMPARE AUSSI, MADAME.

TU N'AS PAS TORT, MERLIN.

POUR L'HONNEUR DE PÉQUILURE ET L'AVENIR DU MONDE, JE COMPTE SUR VOUS POUR TROUVER LE GRAAL AVANT LES BRAS CASSÉS DE LA TABLE RONDE.

⑨

ALORS, QUI VEUT ÊTRE LANCELOT ?

MRF!

D'ACCORD, MOI.

HEU... CAPUCINE... SI LANCELOT ÉTAIT UNE FILLE, ÇA SE SAURAIT.

ET POURQUOI PAS ? JE SUIS AUSSI FORTE QU'UN GARÇON.

FAUT PAS DÉ...

ET JE SUIS AUSSI BONNE MAGICIENNE QUE VOUS.

C'EST PAS FAUX.

C'EST UNE BONNE IDÉE, ÇA SERAIT TOUT DE MÊME UN PEU TROP ORIGINAL, PEUT-ÊTRE...

JE VOYAIS QUELQUE CHOSE DE PLUS CLASSIQUE...

GNF ?

ADRIEN, TU SERAS LANCELOT, MON BRAS ARMÉ. CAPUCINE, TU SERAS GUENIÈVRE, MA COMPAGNE.

DANS TES RÊVES.

ET THOMAS, TU SERAS MERLIN, MON MAGICIEN. C'EST TOI QUI AS LE PLUS DE POILS.

CAPUCINE, JE PEUX TE PARLER ?

J'AI LE CHOIX ?

HEU... OUI... ENFIN... JE NE... CAPUCINE ? QU'EST-CE QUI SE PASSE ? JE CROYAIS QU'ON ÉTAIT... ENFIN... TU SAIS...

NON, JE NE SAIS PAS, JUSTEMENT. J'AI DES SOUVENIRS... AGRÉABLES MÊME, MAIS J'EN AI D'AUTRES, CAUCHEMARDESQUES...

COMME SI ON M'AVAIT IMPOSÉ UNE RÉALITÉ QUI N'ÉTAIT PAS LA MIENNE... ✸

ALORS JE VEUX BIEN JOUER À ÊTRE GUENIÈVRE SI CELA PEUT AIDER NOTRE MISSION, MAIS SINON, ON RESTE AMIS, D'ACCORD ?

D'ACCORD.

MRF ?

✸ TOUT RAPPORT AVEC LES ÉVÉNEMENTS DU TOME 10 N'EST SÛREMENT PAS FORTUIT...

⑩

LA PREMIÈRE CHOSE À FAIRE EST DE DÉCOUVRIR OÙ SE TROUVE LE GRAAL. IL PEUT ÊTRE N'IMPORTE OÙ.

J'AI LANCÉ UNE SURVEILLANCE ASTRALE AU CAS OÙ IL AURAIT UNE QUELCONQUE SIGNATURE DANS LE ROYAUME.

BIEN, STÉPHANIE. MAIS RIEN NE VAUT UNE OPÉRATION SUR LE TERRAIN. REHOLUR ?

À VOS ORDRES, MONSIEUR LE PROVISEUR. UNE CLASSE DE NA-DRAGONS EST PARTIE EN RECONNAISSANCE, PAR GROUPES DE DEUX !!!

ILS RAPPORTERONT TOUT CE QUI LEUR SEMBLERA CORRESPONDRE À L'APPARITION DU GRAAL.

GUILLAUME ? TU AS UNE AUTRE IDÉE ?

OUI, JE CROIS QUE J'AI LA SOLUTION.

LAQUELLE ?

GOOGLE.

NON, MAIS SÉRIEUSEMENT. ILS SE SERVENT DE GOOGLE POUR SURVEILLER LA PROGRESSION DES MALADIES CONTAGIEUSES ! ⊛

SI LE GRAAL REND LES GENS HEUREUX, ON PEUT SÛREMENT EN DÉTECTER LES EFFETS SECONDAIRES. IL SUFFIT DE CHERCHER LES BONS TERMES !!!

⊛ SI, SI, C'EST MÊME PAS UNE BLAGUE.

GOOGLE.

QUOI, GOOGLE ?

SI LE SORT D'ESPIONNAGE FONCTIONNE CORRECTEMENT, TON COUSIN VEUT TROUVER LE GRAAL AVEC GOOGLE.

MAIS IL EST CRÉTIN ! MERLIN, TU ES SÛR QUE VOUS ÊTES DE LA MÊME FAMILLE ?

IL A PEUT-ÊTRE ÉTÉ ADOPTÉ ?

OU ALORS, C'EST MOI !!!

⑪

13

DANS LE CYCLE ARTHURIEN, C'EST PERCEVAL OU GALAAD QUI TROUVENT LE GRAAL.

... MAIS IL ÉCHOUE ...

AU DÉPART, C'EST LANCELOT DU LAC, LE CHEVALIER LE PLUS PROCHE D'ARTHUR, QUI ÉTAIT DESTINÉ À LE TROUVER ...

AH, C'EST MOI, ÇA.

... À CAUSE DE SA RELATION AMOUREUSE AVEC LA REINE GUENIÈVRE.

LANCELOT ET GUENIÈVRE ?

HEU ... ON AVAIT DIT QUOI, DÉJÀ ?

ET MERLIN ? IL NE LE TROUVE JAMAIS LE GRAAL ?

NAVRÉE, THOMAS, MAIS IL FAUT ÊTRE PUR POUR TROUVER LE GRAAL ET MERLIN, FILS DU DÉMON, N'ÉTAIT PAS LA PURETÉ INCARNÉE ...

ET C'ÉTAIT AVANT DE TOMBER AMOUREUX FOU DE LA FÉE VIVIANE, ÇA N'A RIEN ARRANGÉ ...

QUOI ?! MERLIN AVEC ... VIVIANE ? COMME LE PROVISEUR DU COLLÈGE DE PÉQUAURE ?

BLEAAARGL

MAIS, MADAME, JE SUIS SÛR QU'IL NE VOULAIT PAS DIRE ÇA ...

COMME ÇA, VOUS LES AVEZ PERDUS?

IL DOIT Y AVOIR UN FORT BROUILLAGE MAGIQUE SUR LA ZONE. JE N'AI PLUS DE CONTACT AVEC MES NA-DRAGONS.

VOUS AVEZ PU DÉTERMINER SON ORIGINE?

NON, MONSIEUR, IL EST AUSSI DIFFUS QUE PUISSANT.

DÉCIDÉMENT, L'INCOMPÉTENCE DE CE COLLÈGE NE CONNAÎT PAS DE LIMITES, ALEISTER.

VIVIANE !!!

VOUS VENEZ D'ÉGARER UN DÉTACHEMENT DE NA-DRAGONS, MAIS EN CAS DE DANGER, MES ÉTUDIANTS SONT LÀ.

TOC !!! TOC !!!

VOUS VOULIEZ ME VOIR, MONSIEUR?

OUI, GUILLAUME. JE COMPTAIS TE TENIR AU COURANT DE LA RÉGÉNÉRESSANCE DES NA-DRAGONS, MAIS REHORUR VIENT DE M'APPRENDRE QU'ILS AVAIENT DISPARU.

QUOI? COMMENT EST-CE POSSIBLE?

LE PLUS ÉTONNANT EST QUE TOUT CE QUI SE PASSE ICI VOUS ÉTONNE ENCORE !!!

AHHH!

GUILLAUME, LES CIRCONSTANCES SONT GRAVES. LE TEMPS PRESSE ET DES FORCES AGISSENT DANS L'OMBRE POUR NOUS EMPÊCHER DE TROUVER LE GRAAL.

ELLE ME REGARDE.

SI TU N'OBTIENS PAS DES RÉSULTATS BIENTÔT, NOUS SERONS PEUT-ÊTRE OBLIGÉS DE NOMMER UNE RÉGENCE POUR TE SUBSTITUER À TOI.

NOUS CRAIGNONS QUE TU NE PRENNES PAS LA SITUATION AU SÉRIEUX.

NON MAIS, JE T'ASSURE, ELLE ME REGARDE, LÀ!

MAIS NON, NE FLIPPE PAS.

C'EST LA MALÉDICTION DE MERLIN, JE TE DIS.

TU VEUX DIRE QUELQUE CHOSE, THOMAS?

NON. RIEN DU TOUT!

GUILLAUME! MONSIEUR LE PROVISEUR! NOUS AVONS UN RÉSULTAT! VENEZ VITE!

AH! VOUS VOYEZ! IL SUFFISAIT D'ATTENDRE!

SAUVÉ PAR LE GONG!

SOYEZ LES BIEN-VENUS, PUIS-JE FAIRE QUELQUE CHOSE POUR VOUS ?

BONJOUR, NOUS VOUDRIONS VOUS PROPOSER NOS SERVICES POUR PARTICIPER À VOS ACTIONS CARITATIVES !

BIEN SÛR ! ENTREZ ! UNE DE NOS HÔTESSES VA S'OCCUPER DE VOUS.

GÉPÉCHESSUM

ALORS ?

RIEN. C'EST AU MOINS UN BROUILLAGE MAGIQUE DE CLASSE 4. IL DOIT Y AVOIR UN ARTEFACT TRÈS PUISSANT DANS LES ENVIRONS.

TA NÉGA-MAGIE VA TENIR ?

EN PRINCIPE, OUI ...

BONJOUR, JE VAIS PRENDRE VOS NOMS POUR VOUS INSCRIRE SUR LA LISTE DES BÉNÉVOLES. VOUS ÊTES ?

LE ROI ARTHUR.

VOUS VOULEZ BIEN RÉPÉTER ?

TOK

HEU... ARTHUR... ARTHUR LEROY... C'EST ÇA. LEROY, AVEC UN Y.

NE PAS ATTIRER L'ATTENTION, HEIN ?

CAPUCINE, ADRIEN, THOMAS ET ARTHUR. J'AI TOUT... NOUS ALLONS VOUS APPELER DANS QUELQUES MINUTES POUR LES DISTRIBUTIONS.

SI VOUS AVEZ BESOIN DE MOI, DEMANDEZ VIVIANE.

GNI ... ENCHANTÉ !

STÉPHANIE ? TU AS FAIT TA RECONNAISSANCE ASTRALE ?

Toc Toc Toc

STÉPHANIE !

ALERTIUM !

CODE BLEU ! JE RÉPÈTE, CODE BLEU !

20

23

TU AS BIEN COMPRIS? TU ES PRÊTE?

TU VOIS QUELQUE CHOSE?

RIEN?

NE T'INQUIÈTE PAS, CE N'EST PAS GRAVE...

JE NE COMPRENDS PAS CE QU'ILS TROUVENT À CETTE VILLE, ELLE SENT TROP MAUVAIS!

OUI, J'AI HÂTE DE RETROUVER NOTRE ÉLEVAGE DE PORCS. TROUVONS LE GRAAL ET RENTRONS VITE CHEZ NOUS!

... GRAAL?

SUIVONS-LES, ILS VONT NOUS MENER JUSQU'AU SAINT DES SAINTS!

JE VOUS EN PRIE, APRÈS VOUS.

CLAC!

HMMM... ÇA SENT BON!

CHUT! SOYONS DISCRETS!

CLAC!

ÇA DOIT PAS ÊTRE PAR LÀ. NON, PAS PAR LÀ DU TOUT.

㉒

TABATHA? COMMENT VA-T-ELLE ?

ELLE NE RÉPOND TOUJOURS PAS. COMME SI ON LUI AVAIT ARRACHÉ SA FORME ASTRALE...

SI ELLE NE RÉINTÈGRE PAS SON CORPS BIENTÔT, NOUS LA PERDRONS "(*)

SAVONS-NOUS QUI A FAIT ÇA ?

NON. ET STÉPHANIE EST NOTRE SPÉCIALISTE DE L'ASTRAL... C'EST ELLE LA PLUS À MÊME DE SE DÉFENDRE DANS CES ROYAUMES "...

VOUS AVEZ PLACÉ LA ZONE SOUS SURVEILLANCE ?

J'AI INVOQUÉ DES SERVITEURS ET JE LES AI ENVOYÉS SUR ZONE

MAIS NOUS NE SAVONS RIEN DE CE QUI SE PASSE À L'INTÉRIEUR "...

NOTRE SEUL ESPOIR REPOSE SUR LES ÉPAULES DE GUILLAUME "...

(*) RÉLISEZ LE TOME 3 POUR FAIRE LE PLEIN DE PÉRIPÉTIES ASTRALES.

C'EST BALLOT "...

UN FAUX MOUVEMENT "...

QU'EST-CE QU'ON EST MALADROITS "...

ET TOUT EST TOMBÉ "

UNE MARMITE POUR TOUS

N'AYEZ CRAINTE, NOUS ALLONS REVENIR APRÈS ÊTRE ALLÉS CHERCHER DE NOUVELLES GAMELLES.

EN ROUTE ! PLUS VITE NOUS SERONS PARTIS, PLUS VITE NOUS SERONS REVENUS.

TOUS

JE NE SAIS PAS, IL FAUT QUE J'APPELLE LE CHÂTEAU. ILS VONT PEUT-ÊTRE ENVOYER "...

@BRISSCHMG DÉBILLLMG

VOUS AVEZ RAISON, RETOURNONS AU CHÂTEAU AUSSI VITE QUE POSSIBLE!

TU M'AS EMPÊCHÉ DE GOÛTER CETTE HORREUR, MERCI !

C'EST TOUT DE MÊME PLUS FACILE QUAND ON PEUT UTILISER NOTRE MAGIE. DOMMAGE QUE ÇA NE SOIT PAS POSSIBLE AU CHÂTEAU "...

OUI... C'EST DOMMAGE... TOUTE CETTE NOURRITURE GÂCHÉE ET TOUS CES PAUVRES GENS QUI SONT DÉÇUS.

UNE MARMITE POUR

24

MONSIEUR !

TABATHA ? STÉPHANIE EST ...

NON MONSIEUR, MAIS J'AI UNE IDÉE !

STÉPHANIE EST ENCORE DANS L'ASTRAL. JE PEUX PEUT-ÊTRE AGIR COMME UN PARASITE ET DÉVORER SON AURA DE L'INTÉRIEUR. CELA ME PERMETTRA DE VOIR MOMENTANÉMENT PAR SES YEUX.

ÇA POURRAIT PEUT-ÊTRE MARCHER, EN EFFET, MAIS C'EST TRÈS DANGEREUX, CELA POURRAIT ...

NOUS L'AVONS DÉJÀ FAIT AVEC STÉPHANIE. SI JE FAIS VITE, ELLE S'EN REMETTRA. CELA NOUS DONNERA PEUT-ÊTRE LES INFORMATIONS QUI NOUS MANQUENT.

ALORS QU'ATTENDEZ-VOUS ?

VIVIANE, REHORUR, RASSEMBLEZ LES FORCES DES DEUX COLLÈGES ET PRÉPAREZ-VOUS À INTERVENIR.

PREMIÈRE ÉTAPE ? TROUVER SON AURA.

ASTRALUM PARASITUM !

16

28

ELLE M'A REPÉRÉE ! CE N'EST PAS POSSIBLE !

MÊME ALEISTER EN SERAIT INCAPABLE !

LA MAGIE DE CET ENDROIT EST TROP PUISSANTE. IL FAUT QUE JE RETOURNE LE PRÉVENIR !

QUÌTTUM AOSTRAOLUS AGURAGE !

JE ... JE SUIS ENCORE LÀ ! MAIS JE... J'AURAIS DÛ QUITTER SON AURA !

COMMENT ... ILS ... ILS ME RETIENNENT !

SI JE NE SORS PAS ASSEZ VITE, JE VAIS ENTIÈREMENT DÉVORER SON AURA !

ET ÇA NOUS TUERA NET TOUTES LES DEUX !

IL NE FAUT PAS RESTER LÀ, C'EST TRÈS DANGEREUX !

OUI, MAIS IL FAUT ENCORE POUVOIR SORTIR D'ICI !

ET NOUS SOMMES COMPLÈTEMENT PERDUS DANS CE LABYRINTHE !

UN LABYRINTHE ! JE SAIS COMMENT ON SORT D'UN LABYRINTHE ! IL SUFFIT D'AVANCER EN GARDANT LA MAIN GAUCHE POSÉE SUR UNE CLOISON !

LA MAIN GAUCHE ... LA MAIN GAUCHE ...

UNE PORTE ? PEUT-ON L'OUVRIR ? C'EST PEUT-ÊTRE AUSSI HORRIBLE QUE TOUT À L'HEURE !

MAIS SI C'ÉTAIT LA PORTE DE SORTIE ?

JE NE SAIS PAS QUOI FAIRE !!! AIDE-MOI ! JE L'OUVRE ? JE L'OUVRE PAS ?

27

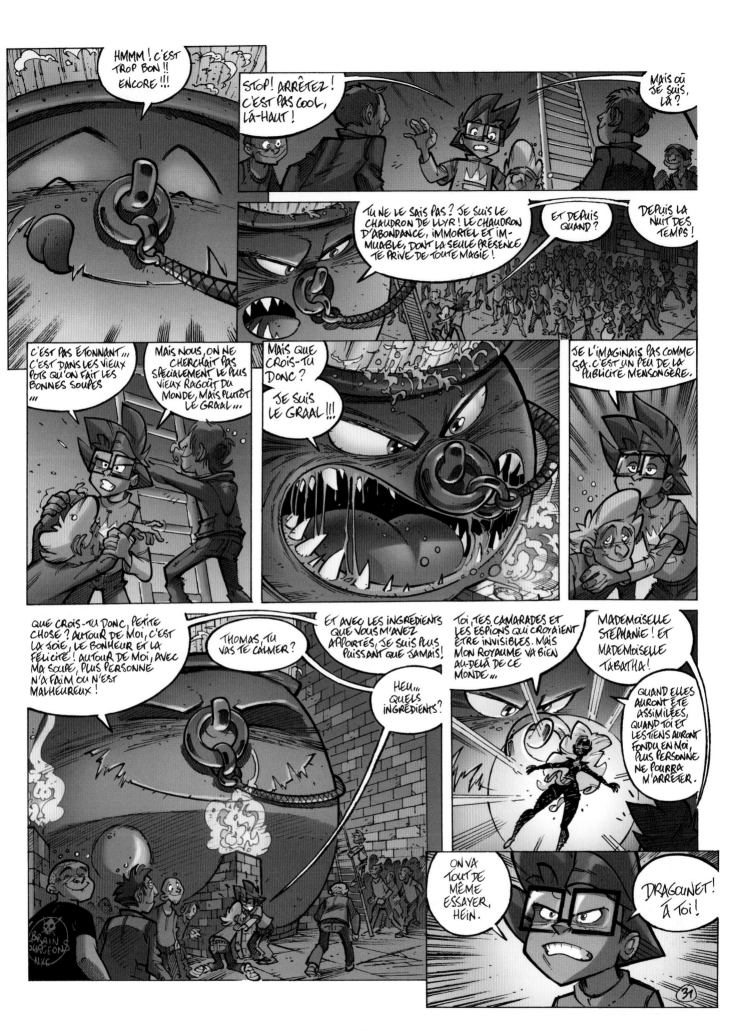

33

DRAGOUNET!!

NON! QUE LA PORTE SE REFERME!!!

CLAC

OUILLE!

J'AI BESOIN D'ÉNERGIE!!

TOI ET TOI! VENEZ À MOI!

NOUS ARRIVONS!

MOI, JE NE VEUX PAS DIRE, MAIS ILS RISQUENT UN PEU DE FAIRE TOURNER LE RAGOÛT.

SAUF QUE C'EST MON COUSIN, TOUT DE MÊME! ON A DIT: PAS LES FRINGUES NI LA FAMILLE!

ARRÊTEZ-LE!!

C'EST BIEN LA PREMIÈRE FOIS QUE TANT DE FILLES ME COURENT APRÈS ET JE NE PEUX MÊME PAS EN PROFITER!!!

TU AURAIS PAS GROSSI, MON COUSIN?

ÇA M'ARRANGE!

③③

GROAAAR!

GNAP!

GNAP!

GNAP!

ARRRH!

DÉPÊCHEZ-VOUS ! JE NE VAIS PAS ATTIRER SON ATTENTION TRÈS LONG...

"TEEEEMPS !!

GNF.

ADRIEN AVEC MOI !

GNF !

CAPUCINE, DÈS QU'IL FAIBLIT, DÉTACHE MLLE ÉTRANGE ET TABATHA !

TU N'AS PAS ENCORE COMPRIS, PAUVRE FOU ! CROIS-TU QUE JE M'AFFAIBLISSE ?

CROIS-TU QUE ...

ÇA SUFFIT !

UH OH ...

43

TABATHA? COMMENT VOUS SENTEZ-VOUS?

C'ÉTAIT MOINS UNE... JE SENTAIS MON AURA SE DÉSAGRÉGER. HEUREUSEMENT QUE CAPUCINE A RÉUSSI À NOUS LIBÉRER...

COMMENT VA STÉPHANIE?

ELLE N'A PAS ENCORE REPRIS CONNAISSANCE.

QUE VA-T-IL SE PASSER, MONSIEUR? LE CHAUDRON? LES HABITANTS DU QUARTIER DU CHÂTEAU? LES VICTIMES?

NOUS PROCÉDONS À UNE RÉÉCRITURE MASSIVE DE LA RÉALITÉ DANS TOUT LE QUARTIER.

QUANT AU GRAAL, LA DÉLÉGATION DE PÉQUOURE EST EN TRAIN DE L'ÉTUDIER AFIN DE LUI EXTIRPER SES SECRETS.

QUE VA-T-ON FAIRE D'EXCALIBUR, MONSIEUR?

ELLE A PERDU SES POUVOIRS QUAND TU AS TUÉ LE MONSTRE, GUILLAUME. JE CROIS QUE TU PEUX LA GARDER... C'EST UN BEAU SOUVENIR. IL N'Y A PAS EU BEAUCOUP DE PORTEURS DE L'ÉPÉE DANS L'HISTOIRE...

ET TU LUI FAIS HONNEUR.

VA, TES AMIS T'ATTENDENT. TU PEUX ÊTRE FIER D'EUX.

CAPUCINE, JE... TU... JE NE SUIS PAS TRÈS DOUÉ AVEC LES MOTS...

TU N'ES PAS TRÈS DOUÉ TOUT COURT...

MAIS QUAND TU N'ES PAS PRÈS DE MOI, QUAND TU N'ES PAS LÀ, QUAND TU NE ME REGARDES PAS, QUAND TU NE ME SOURIS PAS, JE NE SUIS PAS BIEN...

ET QUAND TU ES PARTIE AVEC ADRIEN JE...

CHUT.

JE SAIS.

ANGE.GHORBANI.2013.

46

DANS LE PROCHAIN ALBUM...

...ENCORE PLUS DE MAGIE !

TOME 12 - GRANDUM ILLUSIONUM
(2014)